米芾吴江舟中詩帖

中國碑帖名品〔七十七〕

上海書畫出版社

前言

中華文明綿延五千餘年，文字實具第一功。從倉頡造字而雨粟鬼泣的傳説起，歷經華夏子民智慧聚集、薪火相傳，終使漢字生生不息、蔚爲壯觀。伴隨著漢字發展而成長的中國書法，基於漢字象形表意的特性，在一代又一代書寫者的努力之下，最終超越其實用意義，成爲一門世界上其他民族文字無法企及的純藝術，并成爲漢文化的重要元素之一。在中國知識階層看來，書法是中國人『澄懷味象』、寓哲理於詩性的藝術最高表現方式，她净化、提升了人的精神品格，歷來被視爲『道』『器』合一。而事實上，中國書法確實包羅萬象，從孔孟釋道到各家學説，從宇宙自然到社會生活，中華文化的精粹，在其間都得到了種種反映，書法無愧爲中華文化的載體。書法又推動了漢字的發展，篆、隸、草、行、真五體的嬗變和成熟，源於無數書家承前啓後、對漢字美的不懈追求，多樣的書家風格，則愈加顯示出漢字的無窮活力。那些最優秀的『知行合一』的書法家們是中華智慧的實踐者，他們彙成的這條書法之河印證了中華文化的發展。

因此，學習和探求書法藝術，實際上是瞭解中華文化最有效的一個途徑。歷史證明，漢字及其書法衝破了民族文化的隔閡和時空的限制，在世界文明的進程中發生了重要作用。我們堅信，在今後的文明進程中，這一獨特的藝術形式，仍將發揮出巨大的力量。然而，在當代這個社會經濟高速發展、不同文化劇烈碰撞的時期，書法也遭遇前所未有的挑戰，這其間自有種種因素，而漢字書寫的退化，或許是書法之道出現踟躕不前窘狀的重要原因，因此，有識之士深感傳統文化有『迷失』、『式微』之虞。書法藝術的健康發展，有賴對中國文化、藝術真諦更深刻的體認，彙聚更多的力量做更多務實的工作，這是當今從事書法工作的專業人士責無旁貸的重任。

有鑒於此，上海書畫出版社以保存、還原最優秀的書法藝術作品爲目的，承繼五十年出版傳統，出版了這套《中國碑帖名品》叢帖。該叢帖在總結本社不同時段字帖出版的資源和經驗基礎上，更加系統地觀照整個書法史的藝術進程，彙聚歷代尤其是今人對不同書體不同書家作品（包括新出土書迹）的深入研究，以書體遞變爲縱軸，以書家風格爲横綫，遴選了書法史上最優秀的書法作品彙編成一百册，再現了中國書法史的輝煌。

爲了更方便讀者學習與品鑒，本套叢帖在文字疏解、藝術賞評諸方面做了全新的嘗試，使文字記載、釋義的屬性與書法藝術造型、審美的作用相輔相成，進一步拓展字帖的功能。同時，我們精選底本，并充分利用現代高度發展的印刷技術，精心校核，原色印刷，幾同真迹，這必將有益於臨習者更準確地體會與欣賞，以獲得學習的門徑。披覽全帙，思接千載，我們希望通過精心編撰、系統規模的出版工作，能爲當今書法藝術的弘揚和發展，起到綿薄的推進作用，以無愧祖宗留給我們的偉大遺産。

上海書畫出版社

簡介

米芾（一〇五一—一一〇七），宋代書家。早年名黻，四十一歲後改署『芾』，字元章，號鹿門居士、襄陽漫士、海岳外史，世稱米南宮。太原（今屬山西省）人，徙居襄陽（今屬湖北省），晚居今之江蘇鎮江，建海岳庵。宣和時爲書畫學博士。後至禮部員外郎，因稱『米南宮』。好潔成癖，多蓄奇石，人稱『米顛』。其書宗晉法，以二王爲歸，晚年出入規矩，深得意外之旨。自謂善書者只有一筆，我獨有四面，識者然之。與蘇軾、黄庭堅、蔡襄（一作蔡京）齊名，後世稱爲『宋四家』。

《吴江舟中詩帖》，行草書。紙本。全卷縱三十一點三釐米，横五百五十九點八釐米，四十四行。卷前有王鐸題首，前後有『石渠寶笈』、『晉府書畫之印』、『清河』、『寶笈三編』、『嘉慶御覽之寶』、『三希堂精鑒璽』、『宜子孫』、『宣統鑒璽』、『無逸齋精鑒璽』等鑒藏印。該帖原爲清内府藏品，後輾轉流至國外，現藏美國大都會博物館。該帖爲米芾大字行草書代表作，字勢矯健，行筆痛快淋漓，點畫多致，墨色豐富，是一件上乘之作，不僅是米芾作品中之佳構，亦是行草書史上佔有重要位置的作品，爲行草書學習的最佳範本之一。

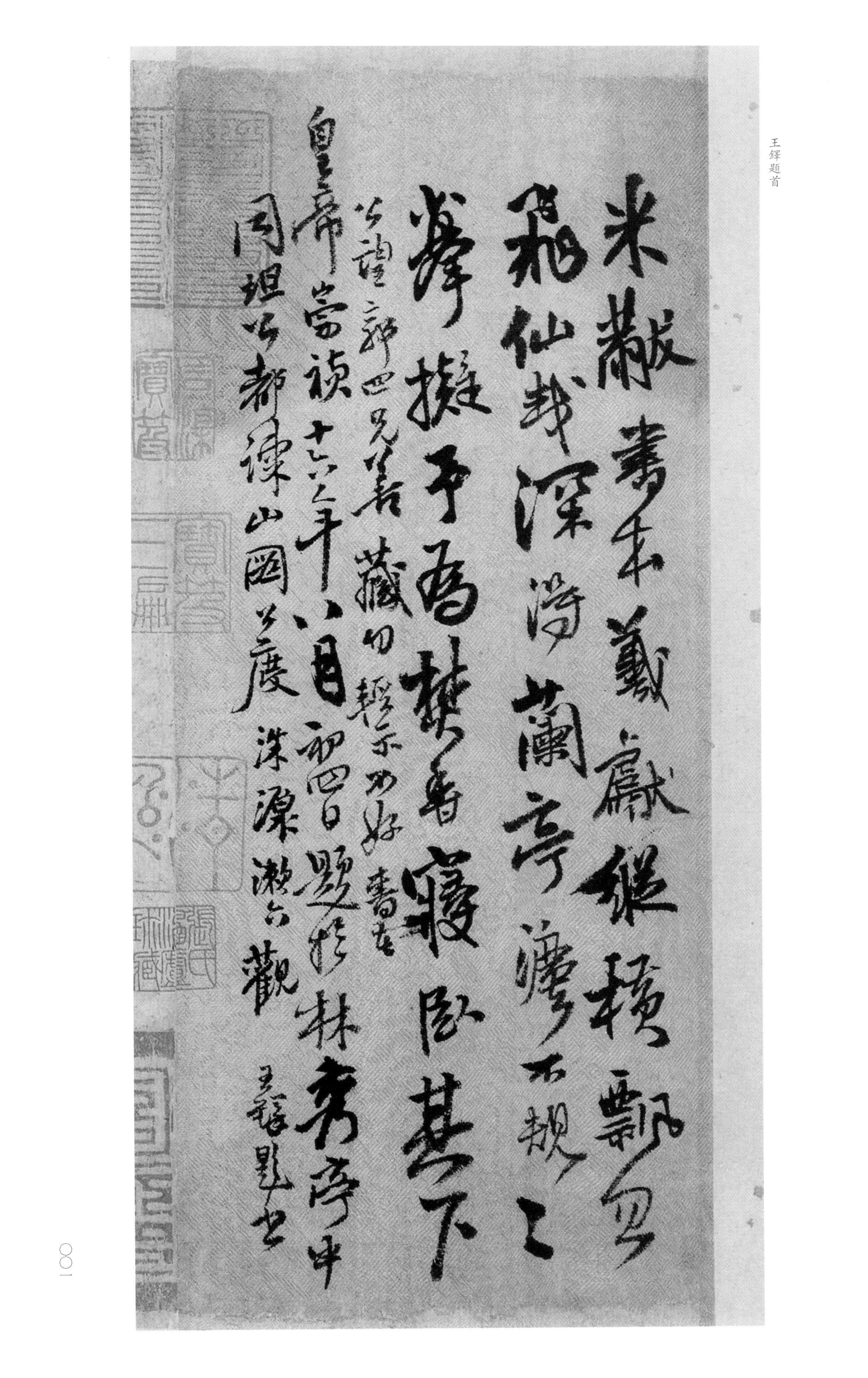

王鐸題首

昨風起西／

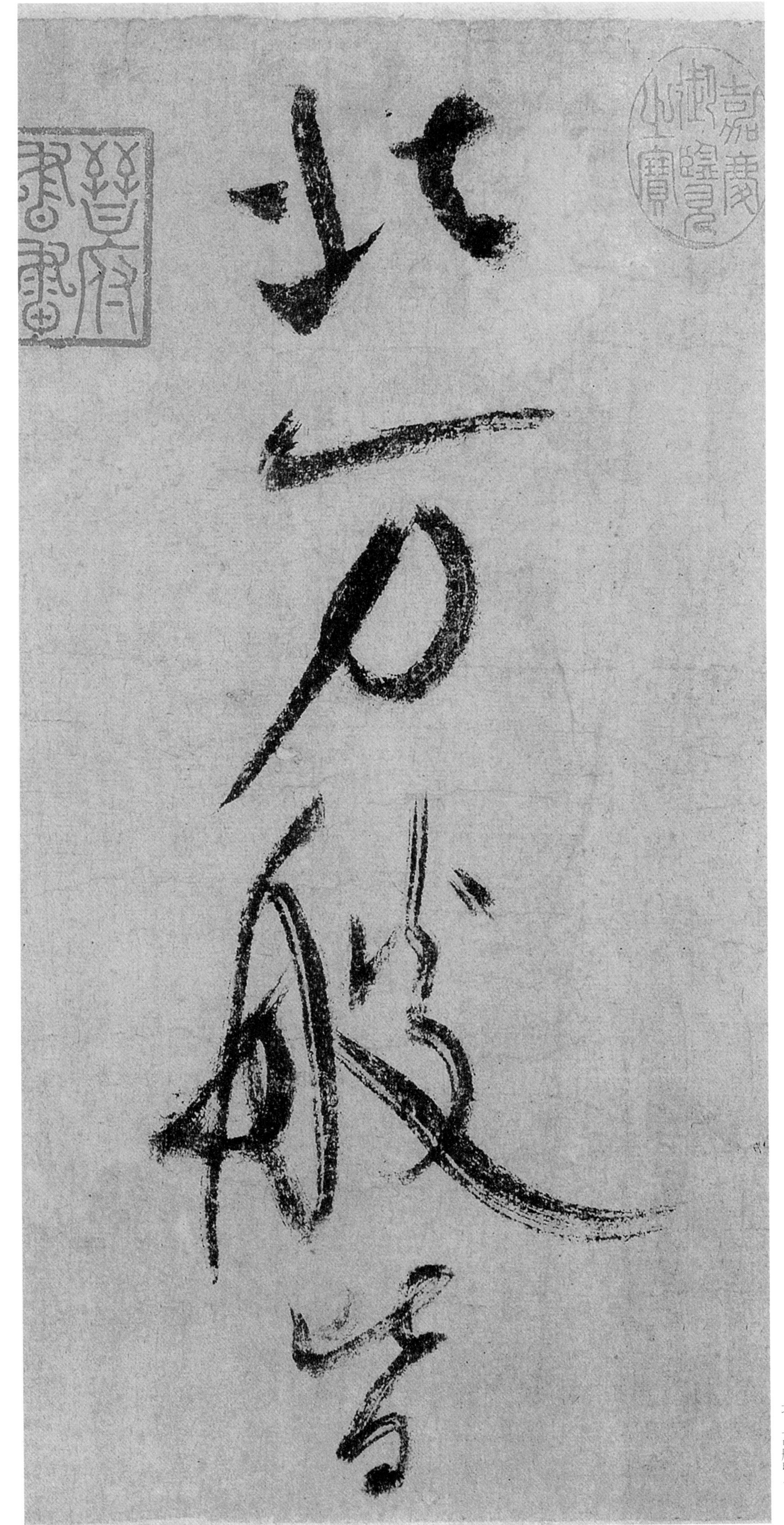

北，萬艘皆／

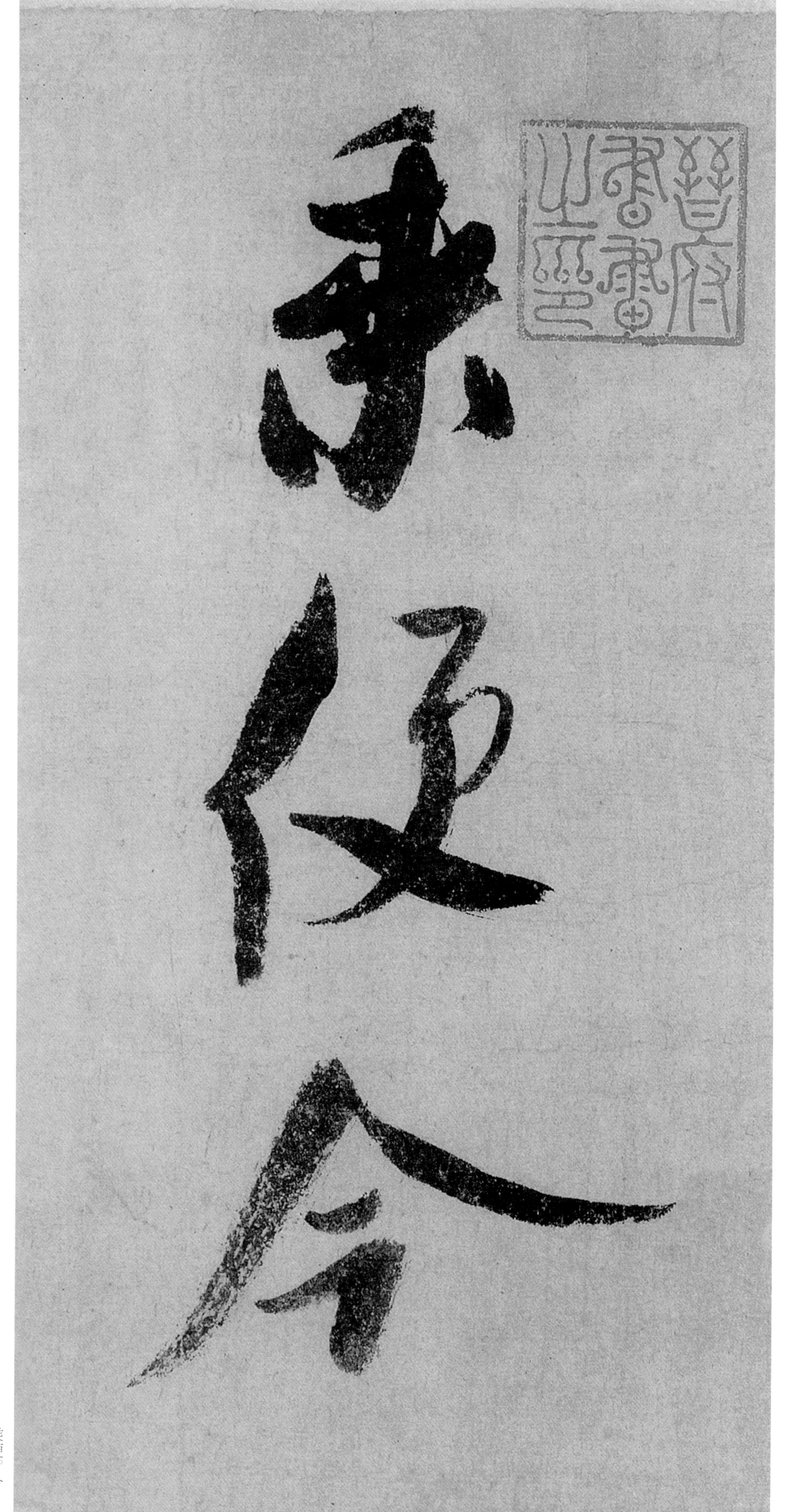

乘便。今／

風轉而／

東，我舟ㄟ

十五縴。／

縴：同『牽』。拉船的繩子。

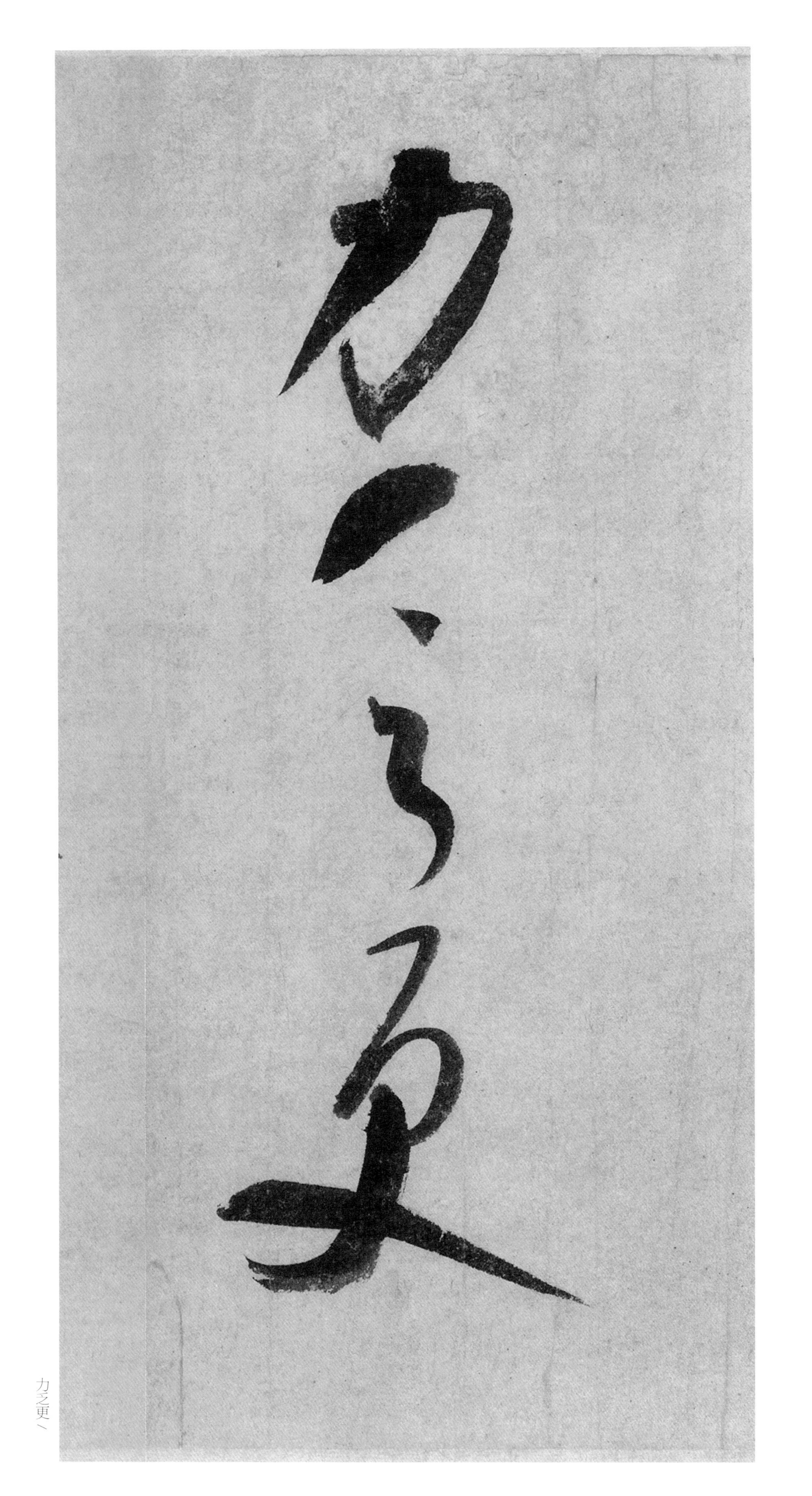

力之更↙

雇夫，百〈

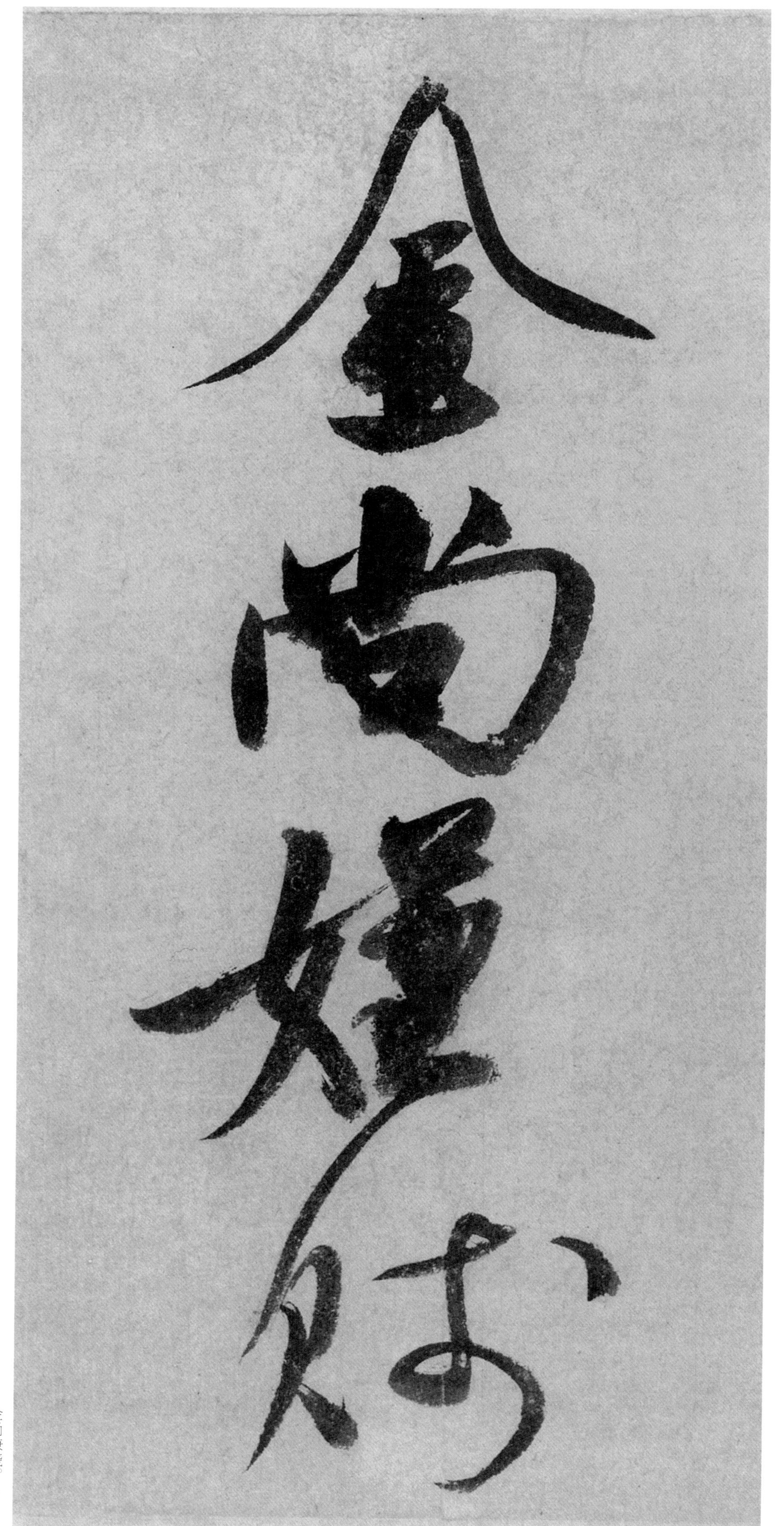

金尚嫌賤。 /

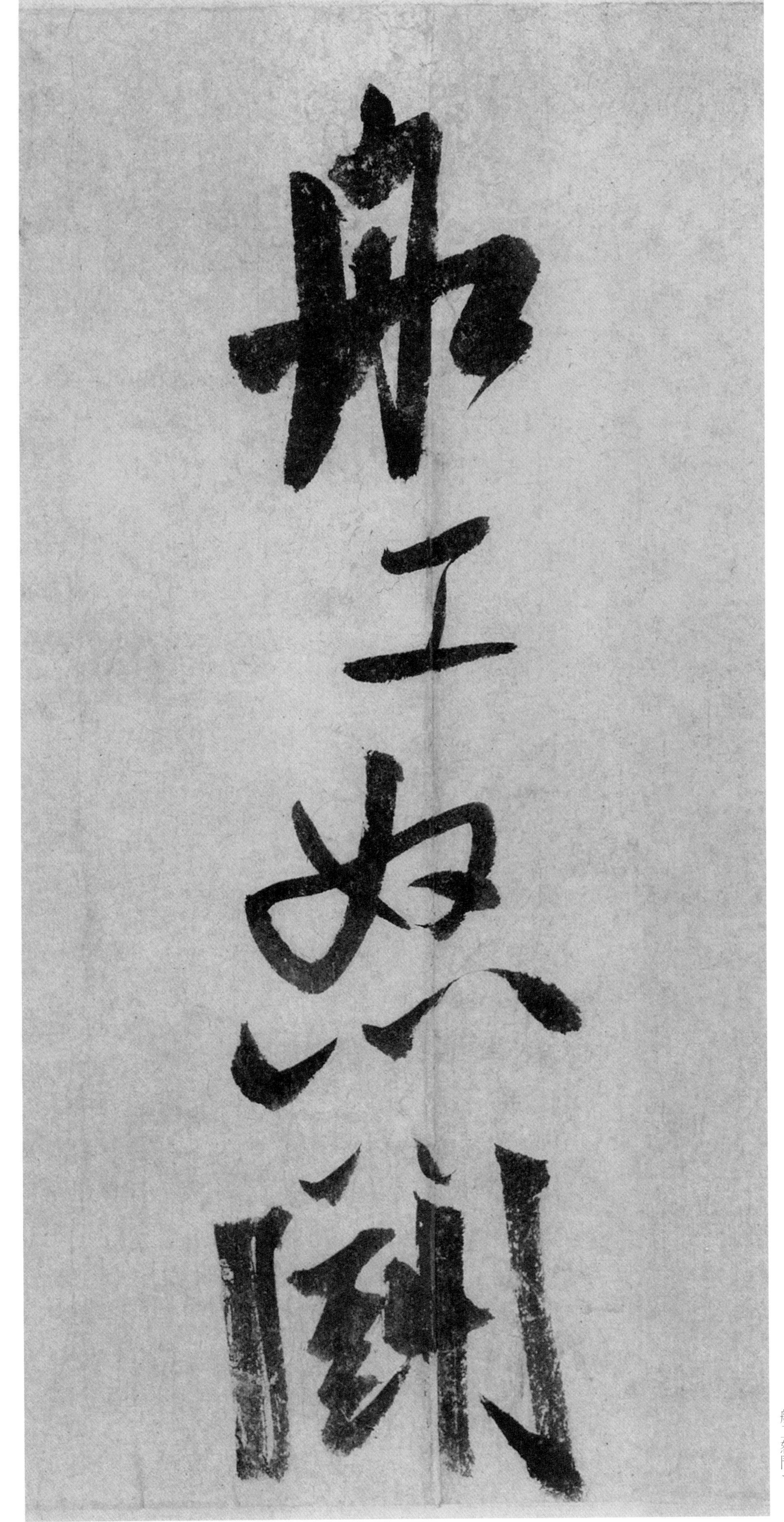

舡：同『船』。

舡工怒鬥/

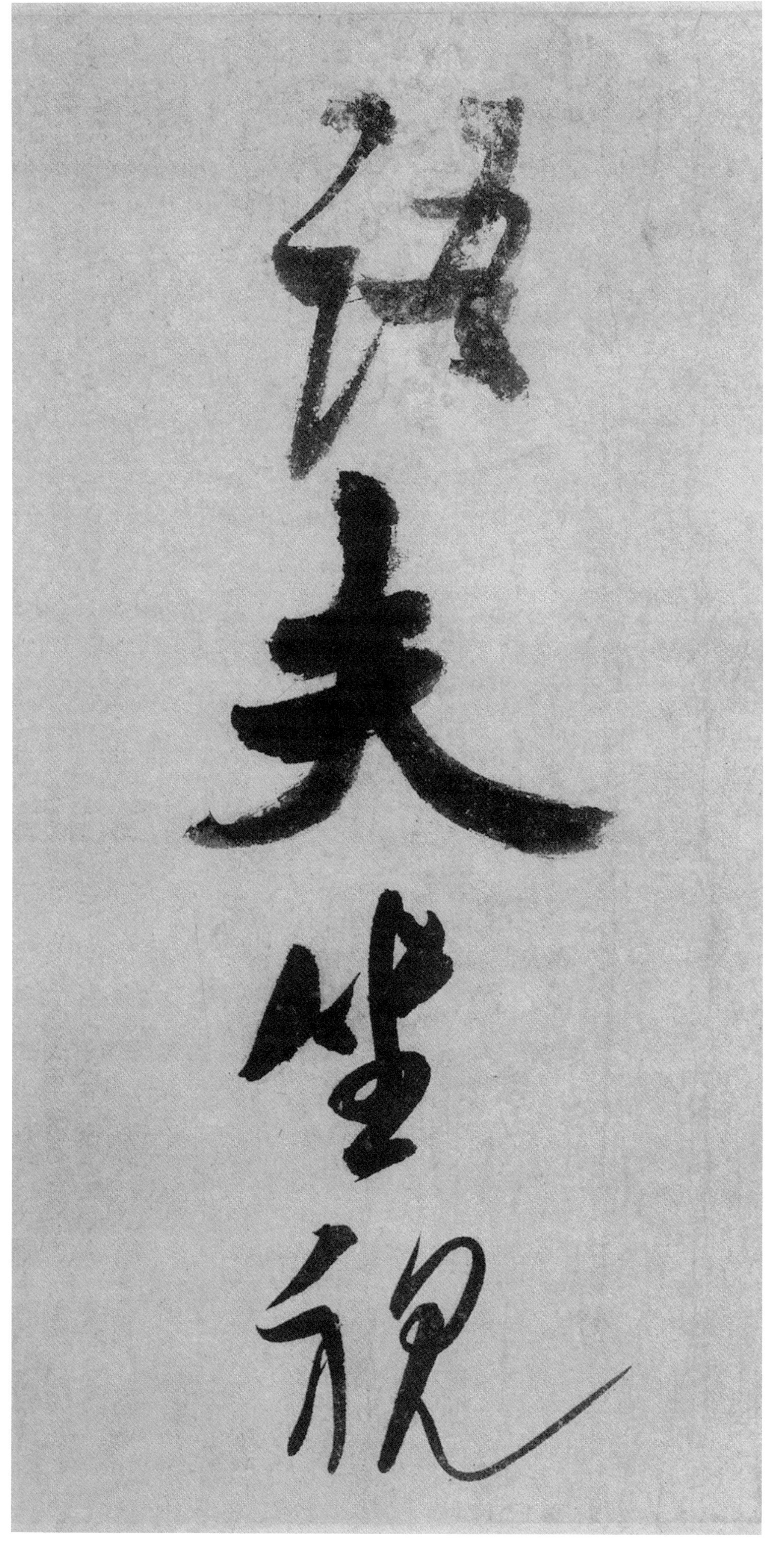

夫：通『趺』。趺坐：雙足交迭而坐。又作『趺跏』。

語，夫坐視╱

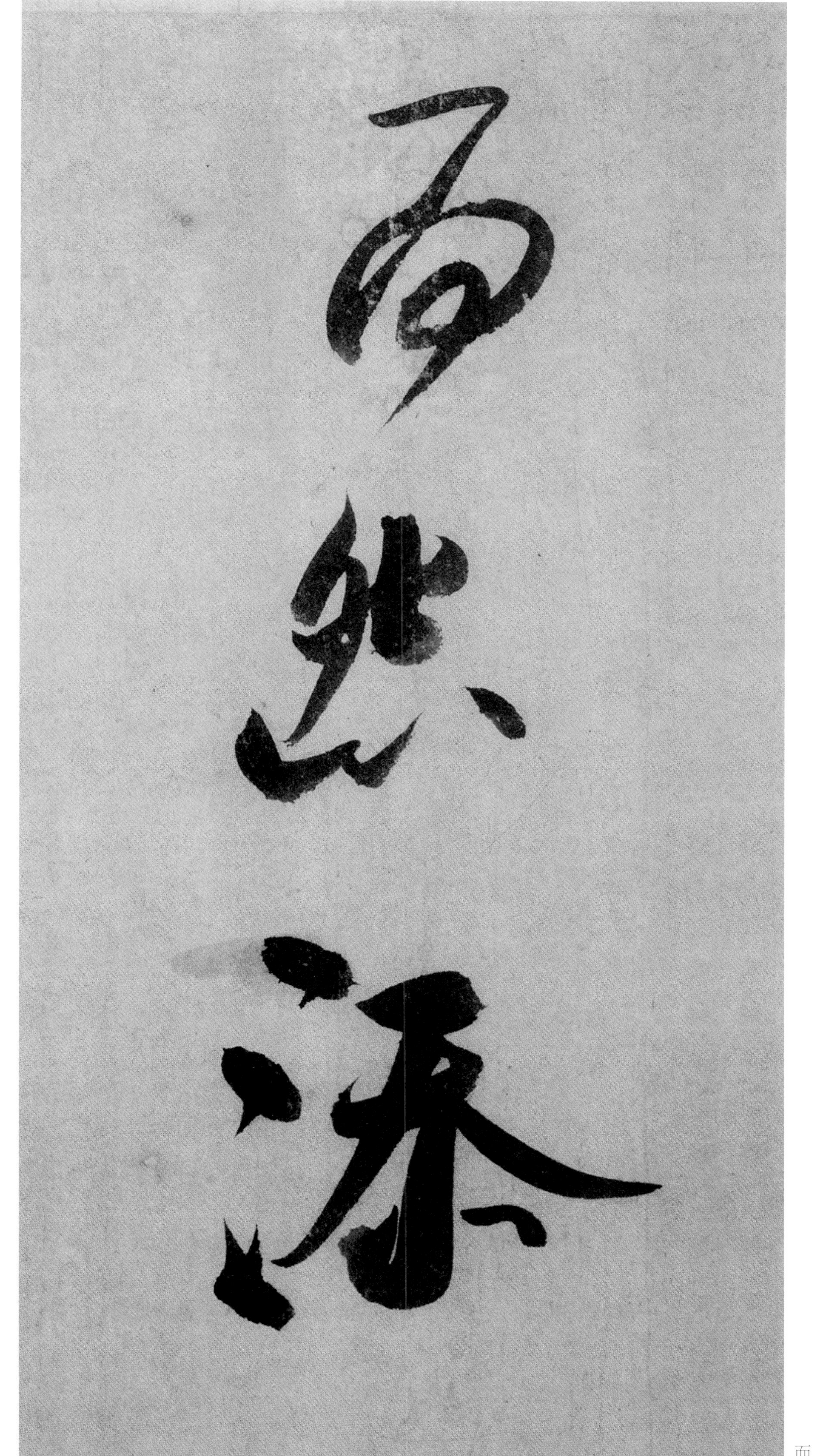

而怨。添／

槔：桔槔，本指井上汲水的一種工具。也泛指吊物的簡單機械。此指拉船的絞盤之類器械。

槔亦復〈

車，

黄膠生口／

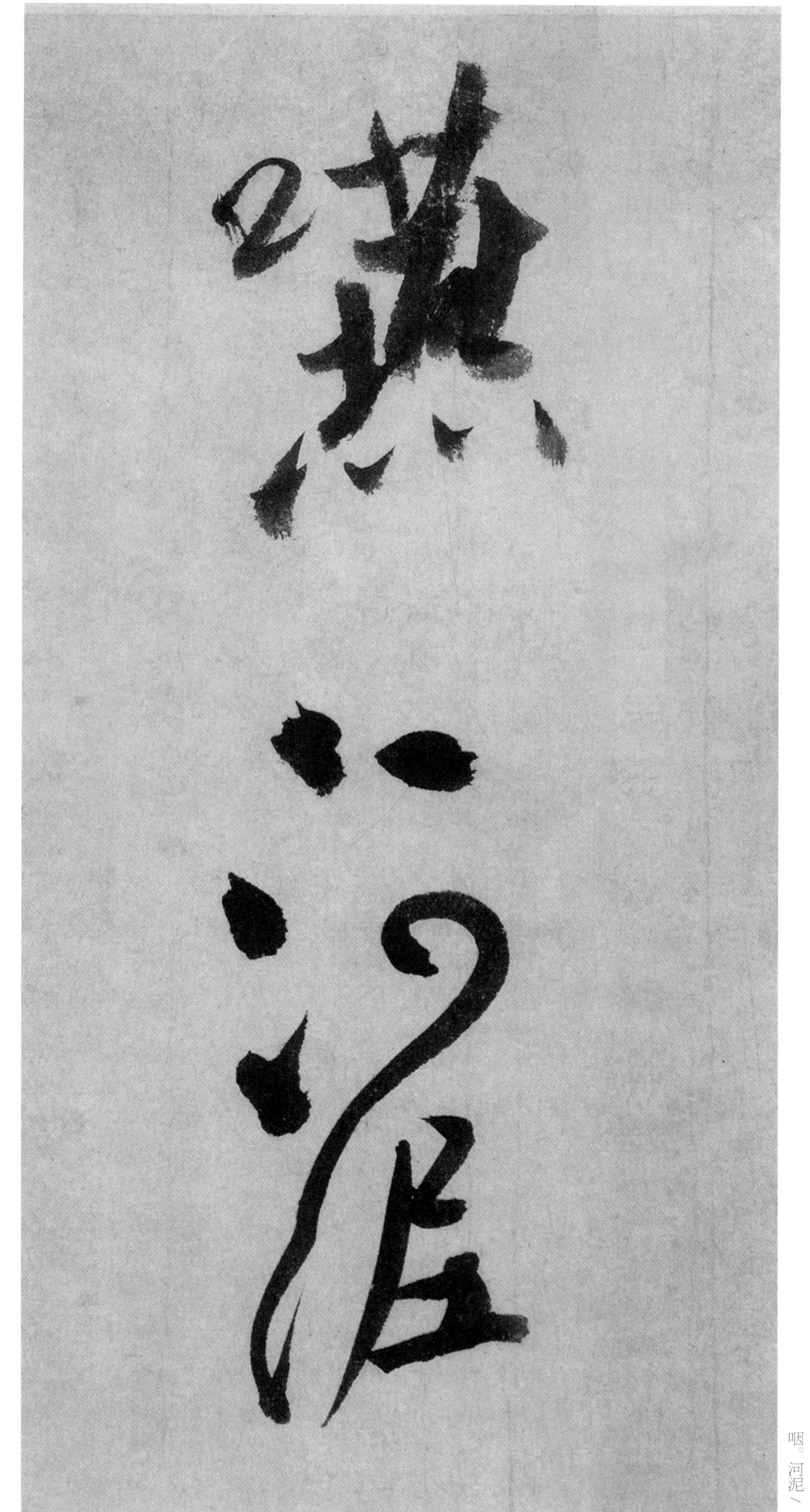

咽。河泥／

若祐夫，﹨

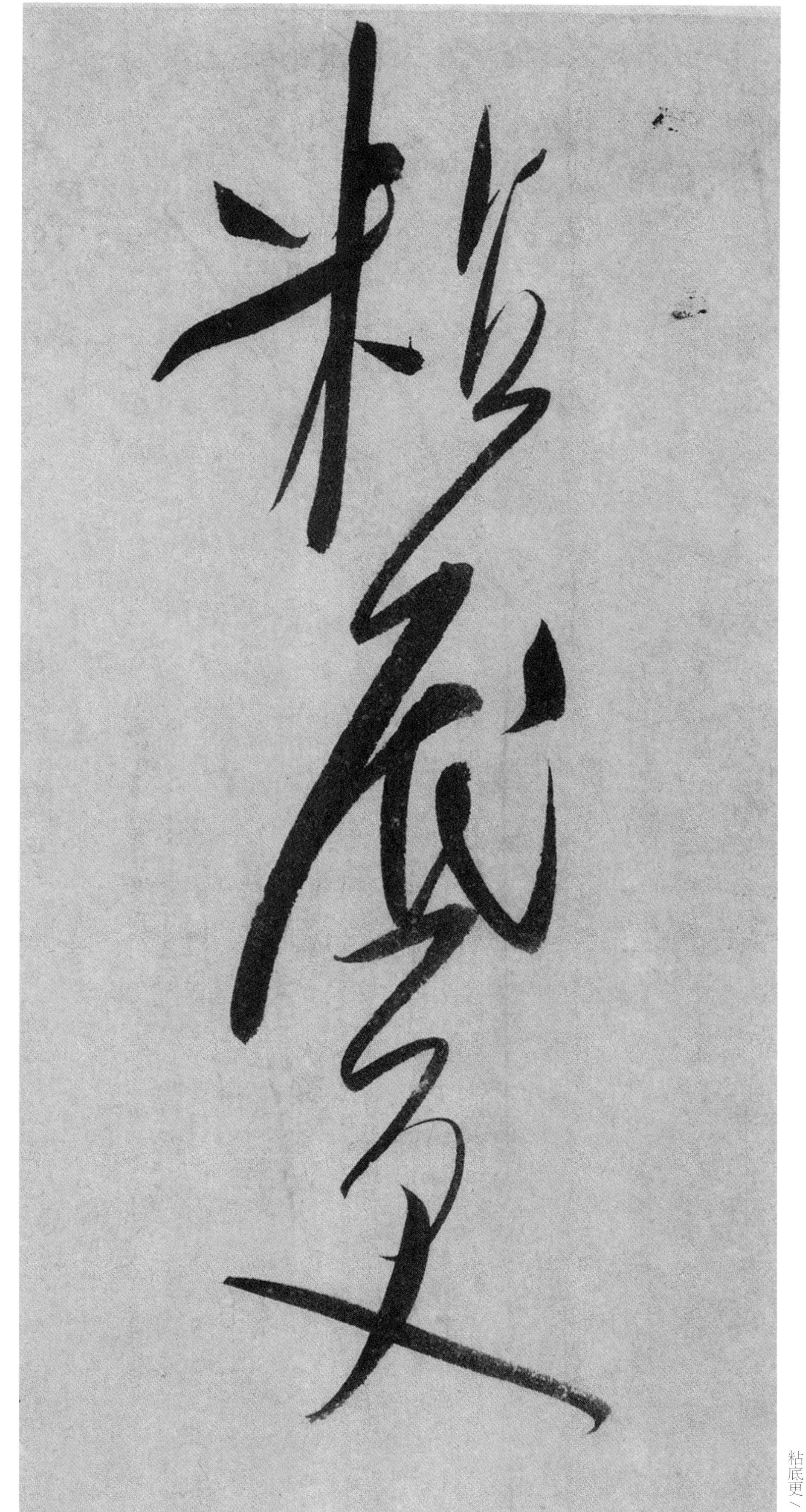

粘底更〈

不轉。添金/

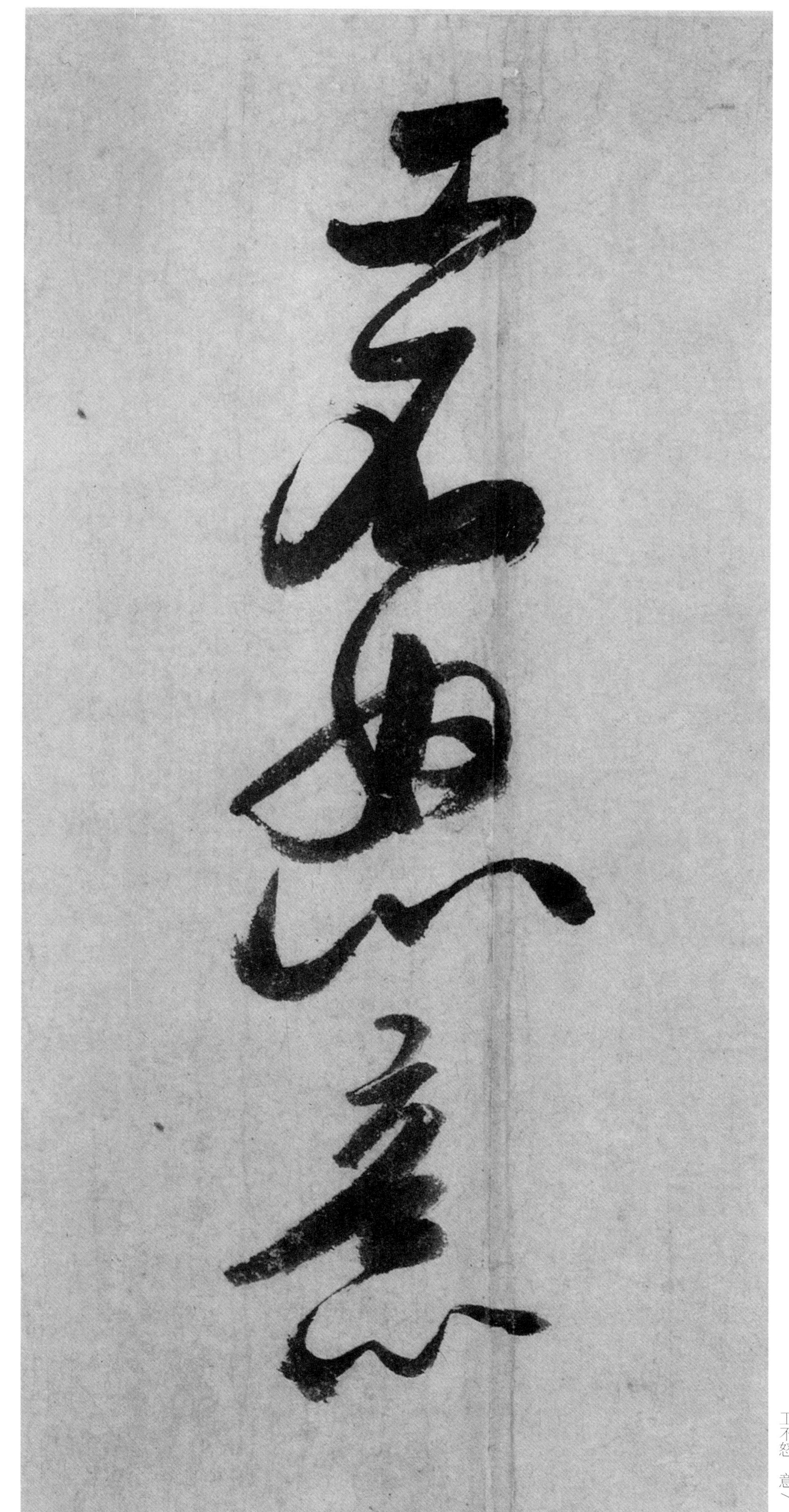

工不怒，意〈

滿怨亦散。 ╲

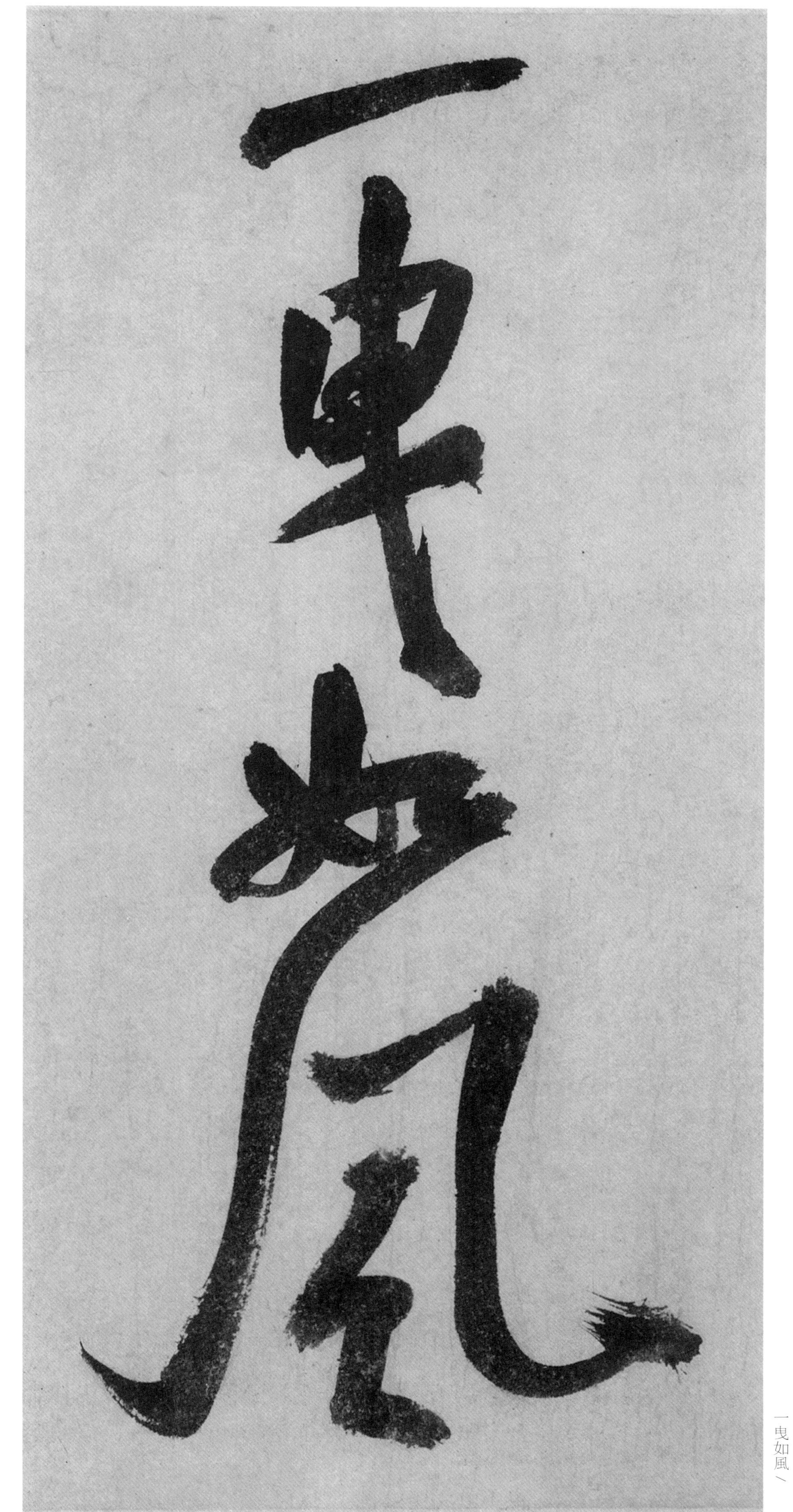

一曳如風／

叫噉：叫喊。

車，叫／

瞰如臨／

戰。

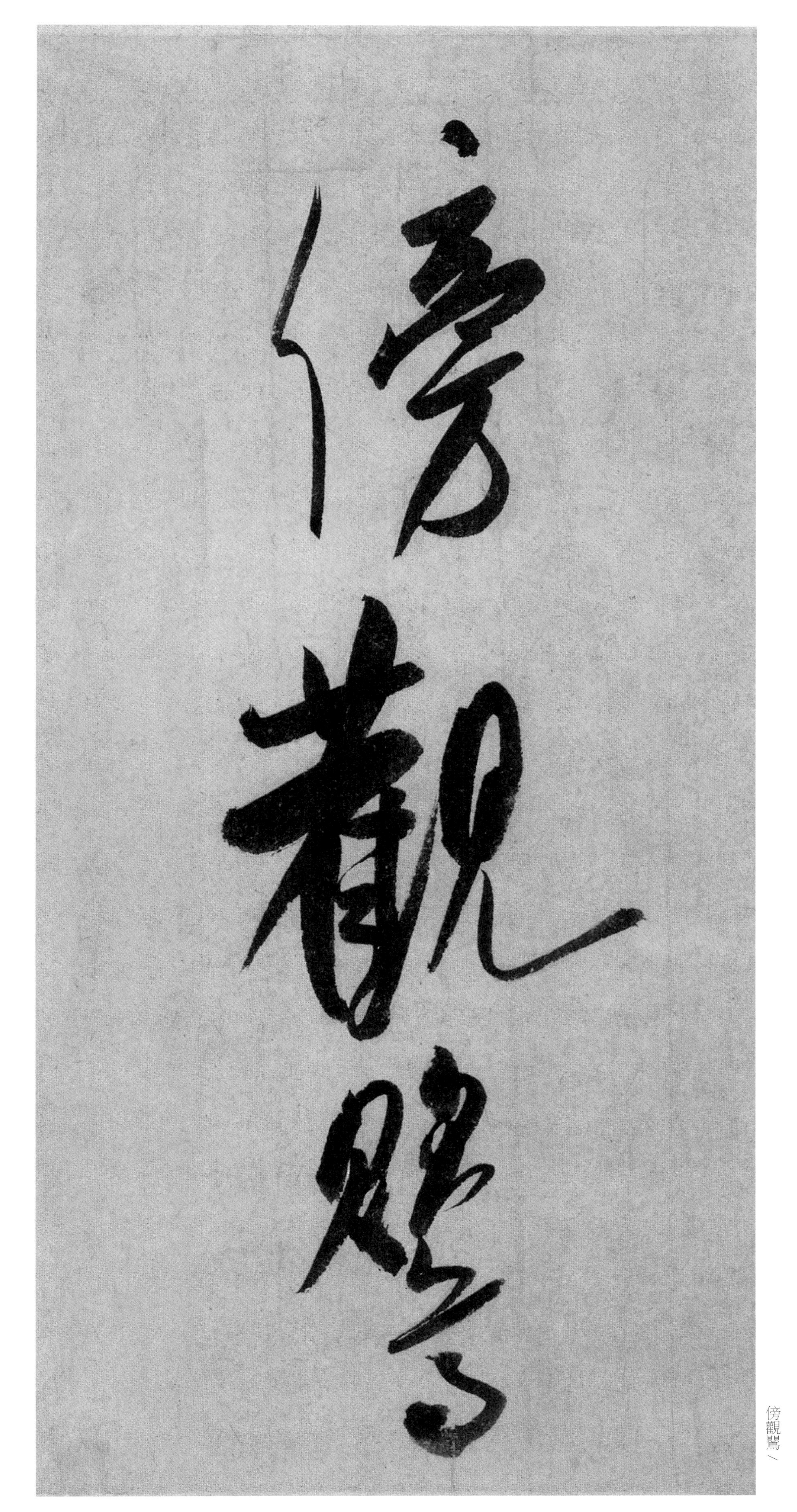

傍觀鸎／

鸎：同『鶯』。鶯竇湖：本作鶯脰湖，又稱鶯湖，位於江蘇省吴江市平望鎮。相傳是吴越春秋時范蠡所遊的五湖之一，以其形似鶯的脰（脖子）而得名。

竇湖，渺〈

渺無涯／

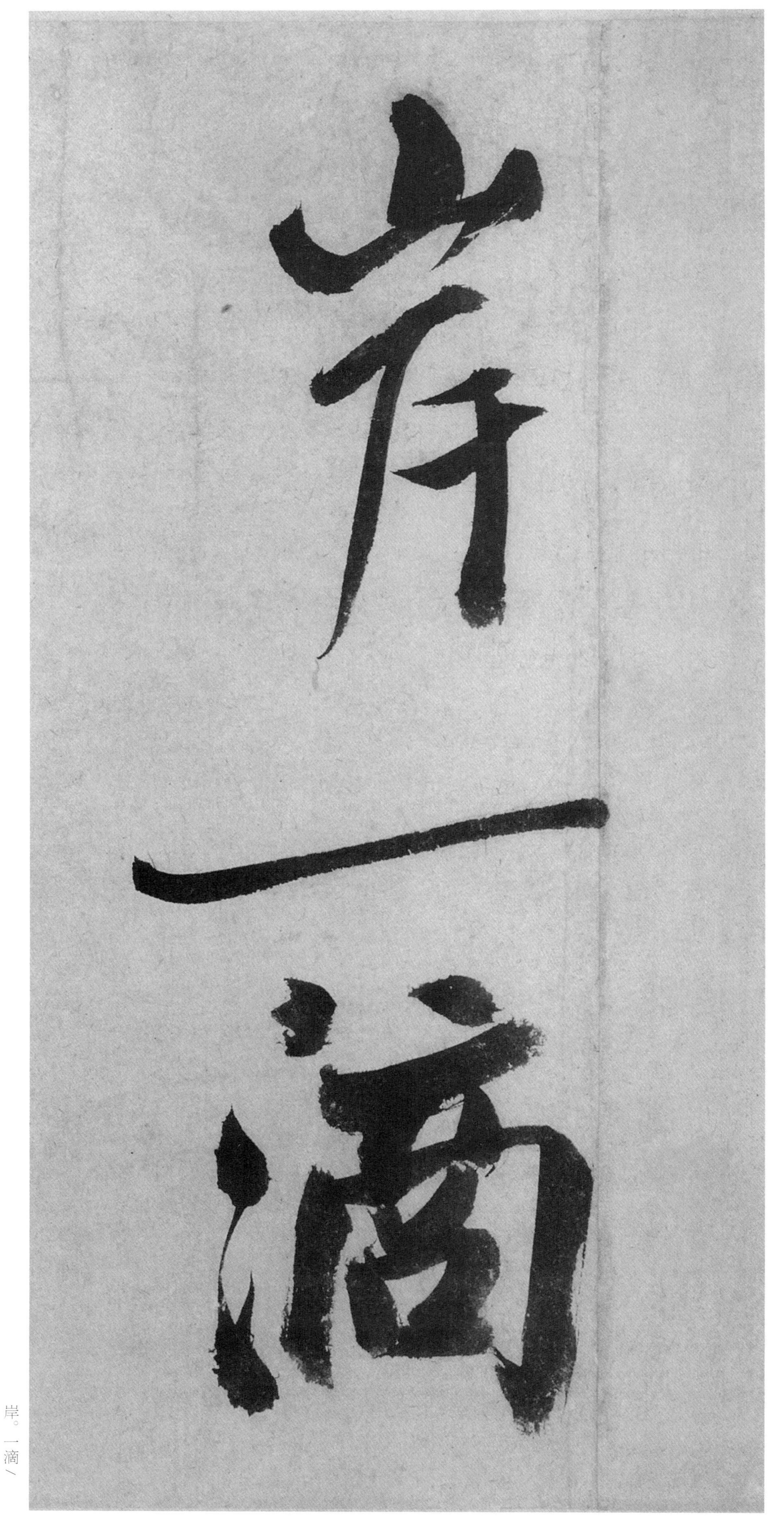

岸。一滴/

一滴不可汲，況彼西江遠：此句參用佛家典故。《景德傳燈録·居士龐藴》：『［龐藴］後之江西，參問馬祖云：「不與萬法為侶者是什麼人？」祖云：「待汝一口吸盡西江水，即嚮汝道。」』後指人操之過急，企圖一下達到目的。

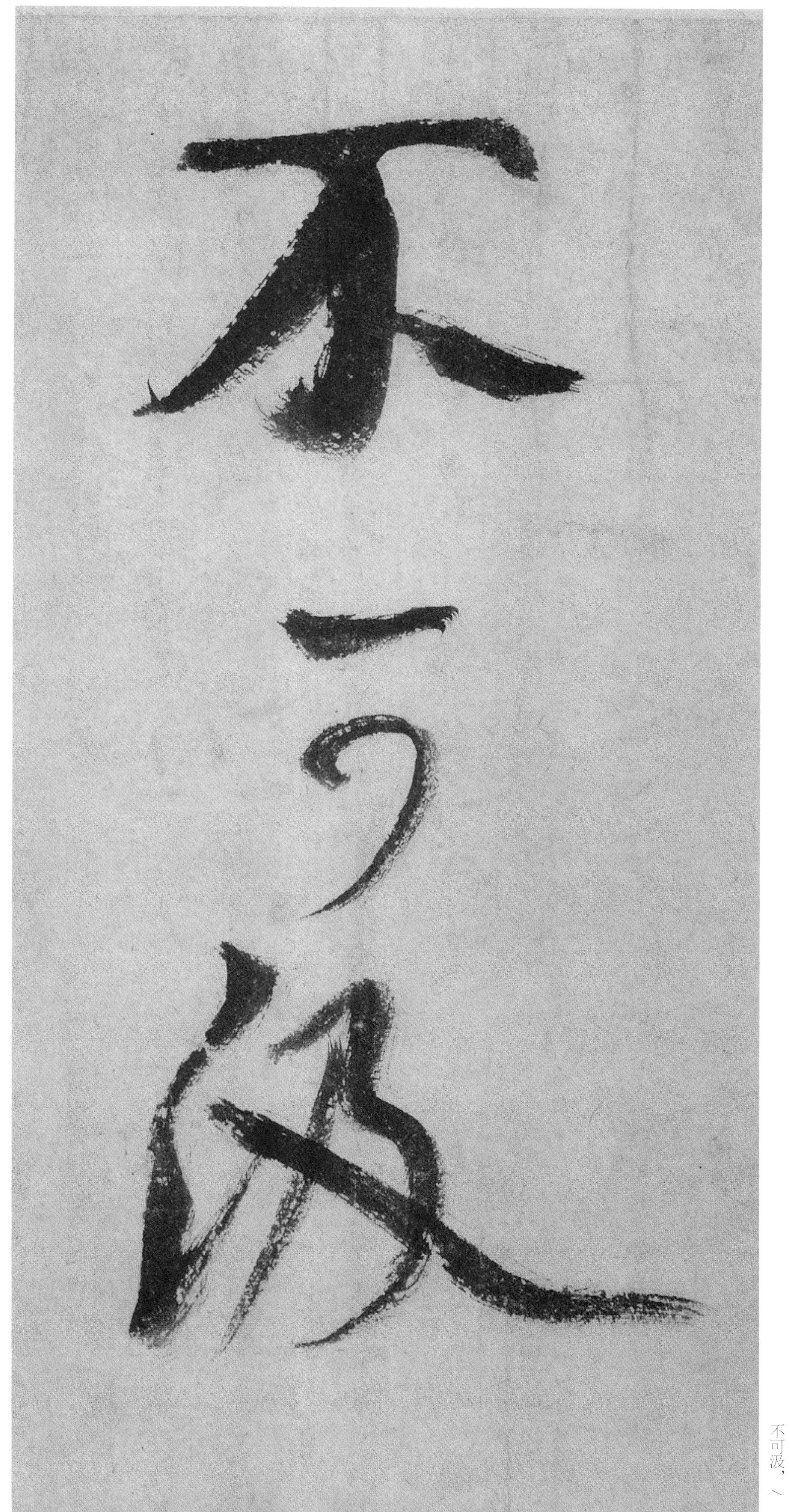

不可汲，＼

況彼西

江遠。/

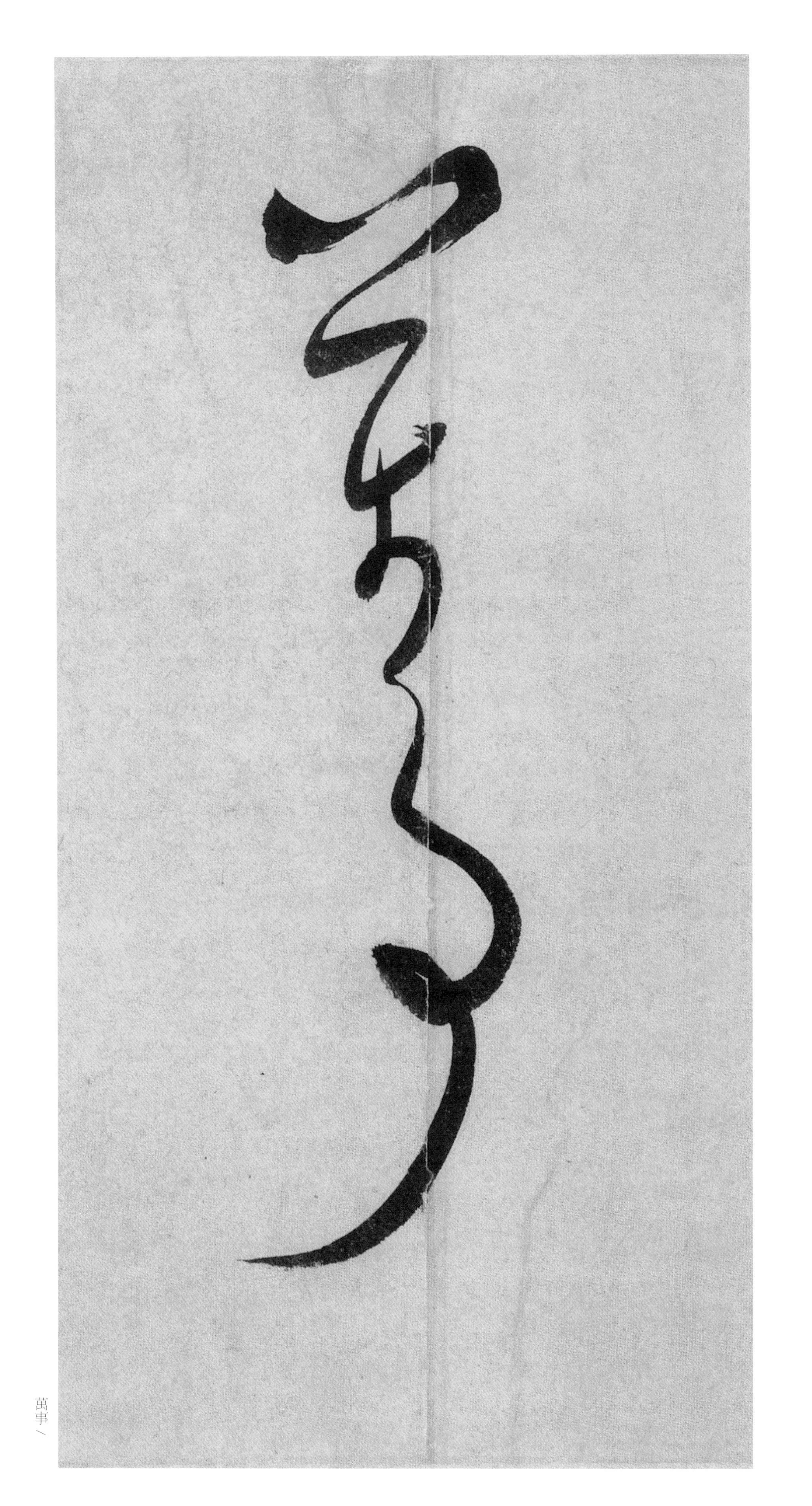

萬事／

須乘時，／

汝來一丶

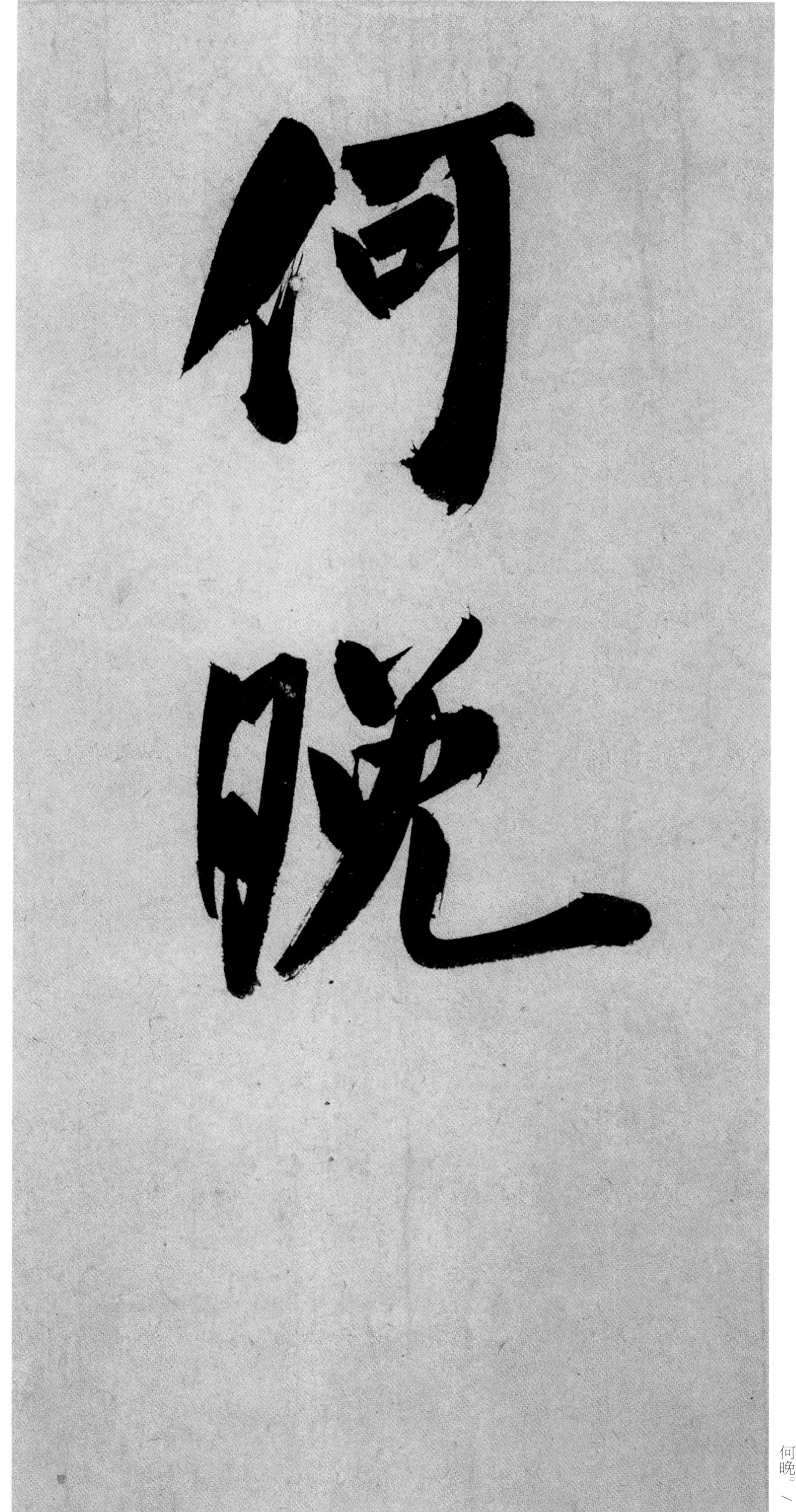

何晚。

朱邦㇏

彦目／

秀寄／

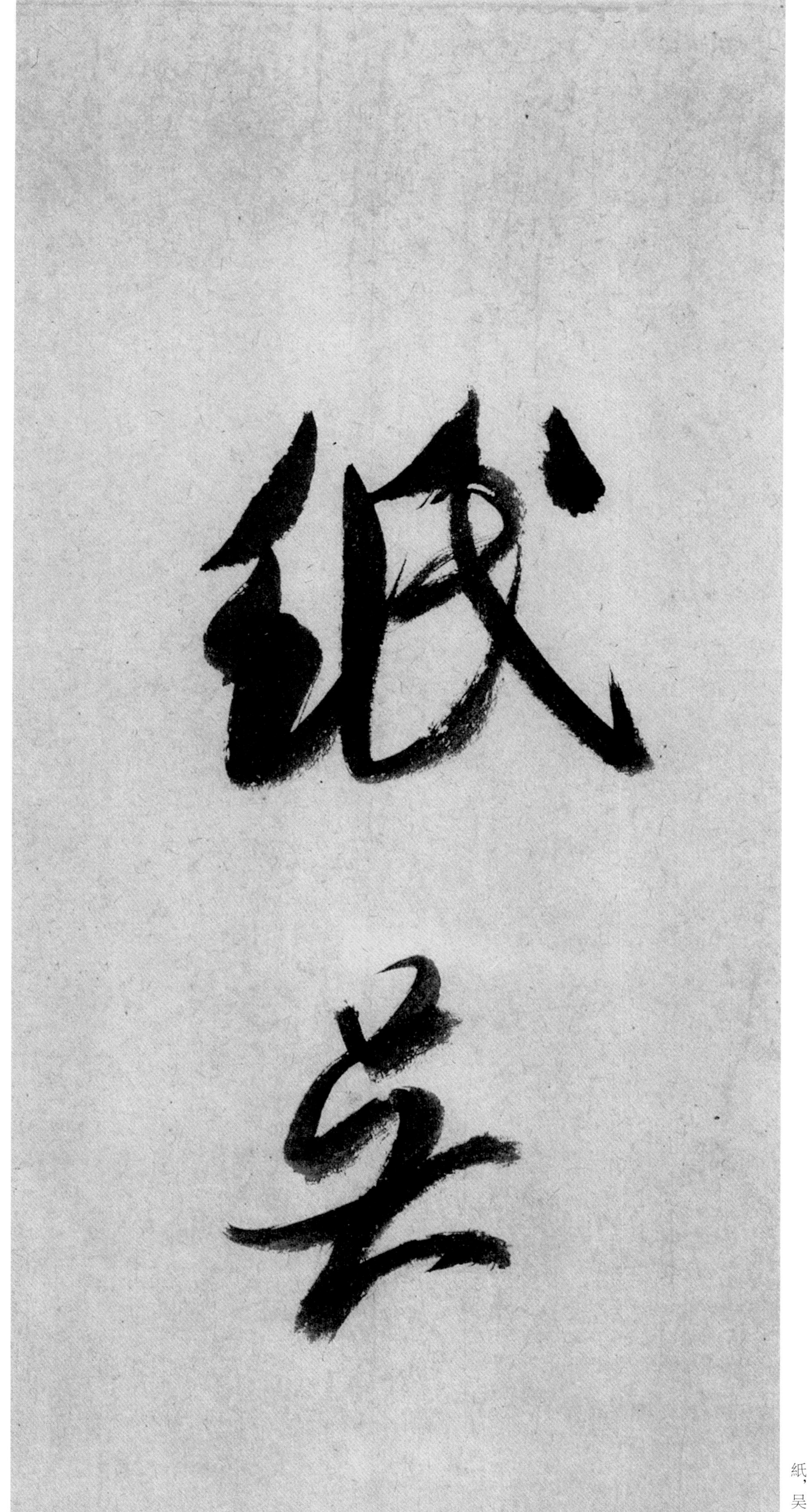

紙，吴（

江舟/

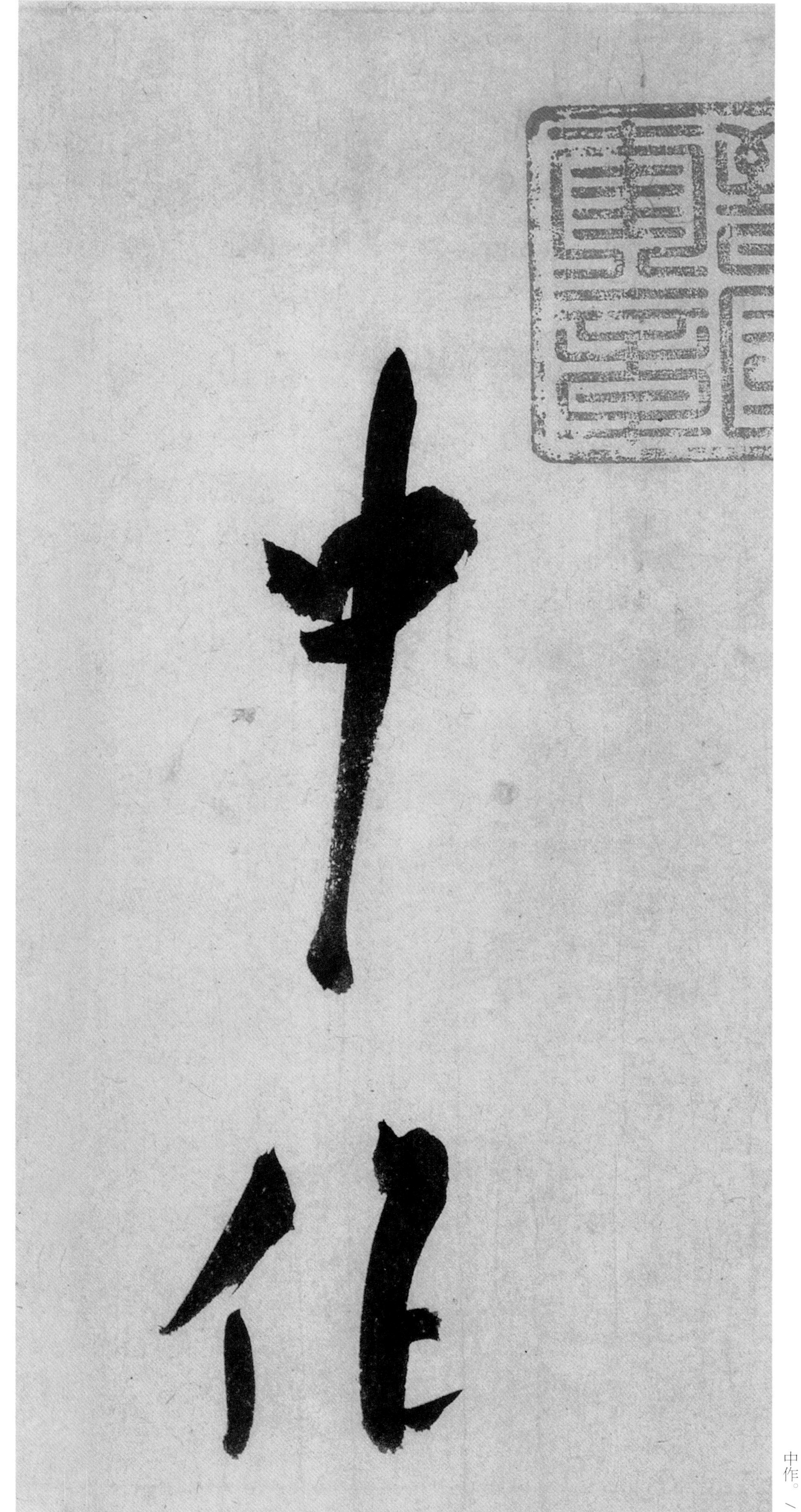

中作。

米元／

章。／

項子長在職方日而余已李伯玉藏米數十字帖因從乞觀收時余雖好書於不甚解頗昔庚子嘗讀南華經意比者家居七年閒研精書法乃知

古人作字惟在用筆因盛憶
米及入都後乞之伯玉則換以
神明教猶蘊觀黃魯直狀馬
群陣之喻不虛也古法皆熟
腕緊提筆以余所見古法書

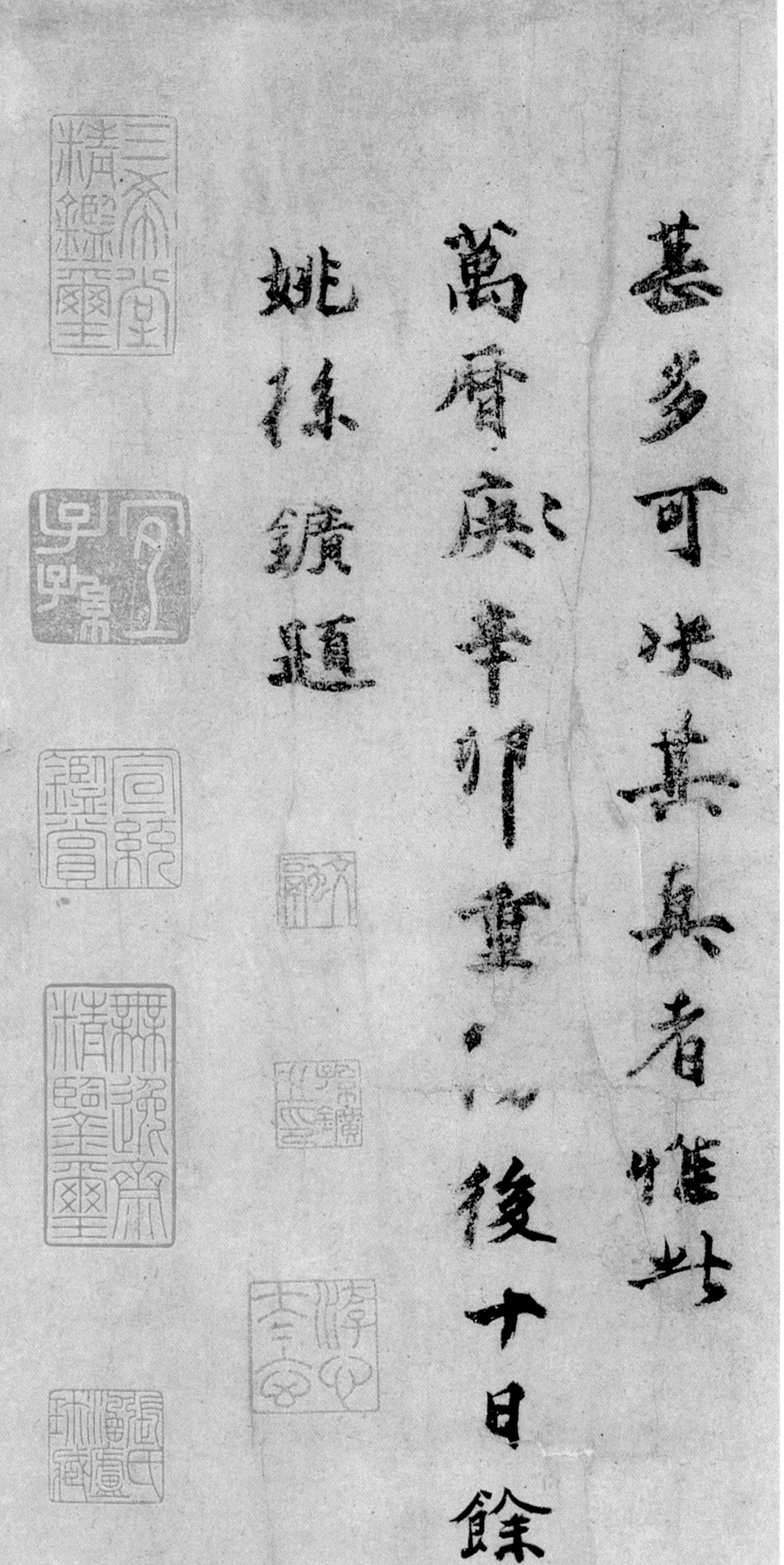
甚多可决其真者惟此
萬曆庚寅重九後十日餘
姚孫鑛題

示及數詩，皆超然奇逸，筆跡稱是，置之懷袖，不能釋手。異日爲寶，今未爾者，特以公在爾。呵呵。臨古帖尤奇，獲之甚幸。

——宋　蘇軾《蘇軾文集》

海岳以書學博士召對，上問本朝以書名世者凡數人，海岳各以其人對，曰：『蔡京不得筆，蔡卞得筆而乏逸韻，蔡襄勒字，沈遼排字，黄庭堅描字，蘇軾畫字。』上復問：『卿書如何？』對曰：『臣書刷字。』

——宋　米芾《海岳名言》

米老書，如游龍躍淵，駿馬得御，矯然拔秀，誠不可攀也。

——元　趙孟頫《評宋十一家書》

襄陽公在當代愛積晉唐法書，種種必自臨拓，務求逼真。時以真跡混出眩惑人目，或被人指摘相與發笑，然亦自試其藝之精，抑試人之知。如此所以名書於宋與蔡蘇黄爲四大家。後之人惡敢議其劣，亦不容諛其優矣。汪君宗道持其所書雜咏織行綾卷索題，佛頭上豈可作罪過。但以蘇長公論其清雄絶俗之文，超妙入神之字，今於此卷見之。因掇以塞其請云。正德改元八月下浣。後學沈周。

——明　沈周《蜀素帖》題跋

三十年前參米書，在無一實筆，自謂得訣，不能常習，今猶故吾，可愧也。米云『以勢爲主。』余病其欠淡，淡乃天骨帶來，非學可及。內典所謂『無師智』，畫家謂之『氣韻』也。

觀米芾論書，亦可想見米家筆法。顧其呵詆唐人，終非篤論。山谷評米書如『仲由未見孔子』時氣象，則米老未必心服，蓋米於前代書法，盤旋甚深，非蘇、黄所及也。

——明　董其昌《容臺集》

米海岳云『無垂不縮，無往不收』，此八字真言，無等等咒也。然須結字得勢，米海岳自謂『集古字』，蓋於結字最留意，比其晚年始自出新思耳。學米者惟吴琚絶肖，黄華、樗寮一枝半節，雖虎兒亦不似也。

——清　倪後瞻《倪氏雜著筆法》

蘇、米書皆有逸氣，不主故常，然深於筆法，故所論皆非耳食者所知。須知偏側之勢出二王外，不獨指草書也。與逸於繩墨外，造車合轍，固非虛語。

——清　徐用錫《字學札記》

米南宫書，余素不喜，止取《易論》、《龍井》二種，近見何庶常家内府宋拓本，深穩渾厚，純是六朝，與後世刻本絶異，不覺俯首至地。

——清　楊賓《大瓢偶筆》

米元章書一種出塵人所難及，但有生熟，差不及黄之匀耳。

——清　陳玠《書法偶集》

米老天才横軼，東坡稱其超妙入神。雖氣質太重，不免子路初見孔子時氣象，然出入晉、唐，脱去滓穢，而自成一家。涪翁、東坡故當俯出其下。

——清　王澍《虛舟題跋補原》

米書不可學者過於縱，蔡書不可學者過於拘。米書筆筆飛舞，筆筆跳躍，秀骨天然，不善學者，不失之放，即失之俗。

——清　錢泳《學書》

米元章書大段出於河南，而復善摹各體。當其刻意宗古，一時有集字之譏；迨既自成家，則惟變所適，不得以轍跡求之矣。

——清　劉熙載《藝概》

圖書在版編目（CIP）數據

米芾吴江舟中詩帖/上海書畫出版社編. ——上海：上海書畫出版社，2013.8

（中國碑帖名品）

ISBN 978-7-5479-0667-5

Ⅰ.①米… Ⅱ.①上… Ⅲ.①行書—碑帖—中國—宋代 Ⅳ.①J292.25

中國版本圖書館CIP數據核字（2013）第186905號

中國碑帖名品［七十七］

米芾吴江舟中詩帖

本社 編

責任編輯 孫稼阜
釋文注釋 俞 豐
審 定 沈培方
責任校對 倪 凡
封面設計 王 峥
整體設計 馮 磊
技術編輯 錢勤毅

出版發行 上海世紀出版集團
上海書畫出版社
地址 上海市闵行区號景路159弄A座4楼 201101
網址 www.shshuhua.com
E-mail shcpph@163.com
印刷 上海界龍藝術印刷有限公司
經銷 各地新華書店
開本 889×1194mm 1/12
印張 4 2/3
版次 2013年8月第1版
2022年7月第7次印刷

書號 ISBN 978-7-5479-0667-5
定價 50.00元